伝える準備

日本テレビアナウンサー
藤井貴彦

Discover

言葉を寝かせて、伝わる表現を探す

言葉は、ひと工夫することで伝わり方が大きく変わります。その言葉がどのように伝わるのかを想像して、相手にフィットする言葉を選びましょう。

高い音が続いて聞きづらい	この言い方では、後輩を混乱させてしまうかも？
▼▼	
高音を効果的に使うために、低音を増やしてみよう	技術の面からアプローチしてみよう
高音を出すのは疲れるから、自分にも優しい低音を使おう	自分の経験からわかることを伝えよう
実はあなたのストロングポイントは、低音だ	ストレートに、良い点を伝えよう

自分と向き合う「5行日記」のすすめ

日記を書くことは、自分と向き合うこと。仕事や気持ちの整理ができるだけでなく、読み返せば自分の成長や現在地を知ることができます。たった5行でかまいません。日々、言葉をためて、未来の自分へ残しておきましょう。

1「見出し」をつける

1日のすべてを文字に残すことは不可能なので、その日を象徴する出来事を書き入れておきましょう。読み返したときに何があったか、思い出しやすくなります。

2「ひと手間かかった言葉」を入れる

限られた字数で記録するために、言葉を言い換えて、フィットする言葉を探すことに挑戦しましょう。この言い換えのトレーニングが日々の会話を豊かにしていきます。

3 何気ない一言を書き留めておく

日常のささやかな出来事は、いざ日記を書く時に思い出せないものです。携帯電話のメモ機能でもよいので、その瞬間を思い出せるような短い言葉をメモしておきましょう。

やってみよう！
言葉の「変換ゲーム」

次の言葉を、ポジティブな表現に言い換えてください。

1 その文章、あんまり面白くない。

2 今日のきみの仕事はいまいちだった。

3 入社３年目でこのレベルではきつい。

▼▼

私なら、こう言う！

1 その文章、あんまり面白くない。
↳あと少しで合格点かな。

2 今日のきみの仕事はいまいちだった。
↳いい時と比べると、惜しいね。

3 入社３年目でこのレベルではきつい。
↳３年目としては合格だが、
目指すのは合格じゃないだろ？

はじめに

人生は誤解との戦いです。

コミュニケーションについて書かれた本が多いのは、多くのみなさんが自らの発言で生まれる誤解と戦っているからではないでしょうか。

今、ＳＮＳの世界では、ふとした発言がきっかけで多くの誤解が生まれています。

悪い印象は瞬時に広がり、嫌悪感が生まれ、話したこともない相手を憎む。

世界で最も残念な悪循環です。

新型コロナウイルスの期間中は、この悪循環が毎日繰り返されていたように思います。

ただ、その誤解も、私たちの発した言葉がきっかけです。

会ってみて、話してみて、相手への印象が大きく変わった経験、みなさんにもあるでしょう。

使った言葉の補足ができる環境があれば、多くの人がわかり合えます。

私たちアナウンサーは、自分の言葉がどんな印象を与えるかを精査しながら、日々、発言しています。

発する前に精査することがとても大切です。

それは「言葉の準備」とも言えるでしょう。

一方で、言葉は道具です。その道具をどう使うか、誰が使うかが大切で、言葉の力だけに頼っていると、会話に旨味やコクが足りなくなります。

そんな時に、誤解や摩擦が起きやすいと感じています。

当初、この本のタイトルを『言葉の準備』としていたのですが、直前で『伝える準備』にさせてもらったのは、これが理由です。

新型コロナウイルスの世界的な流行とともに、他者への批判が渦巻きました。

パンデミックから抜け出したいと思う気持ちは同じなのに、

私たちはささくれだった言葉で他人を傷つけてきました。

伝える前に伝わり方を想像すること、これが「伝える準備」ですが、ここ最近は、不安やいら立ちから、その余裕すらなかったのだと思います。


ほんの少し伝える準備をするだけで、少なくとも自分の周りの雰囲気は変えられます。

その雰囲気が各所で広がれば、批判や暴言を減らせるはずです。

何気ない瞬間に発する言葉、準備なく使用した言葉がどんな影響を与えるかについて考えてほしいと思って、本書を書き始めました。


今、SNSでのコミュニケーションが全盛になり、会話自体が少なくなっています。

誤解を生んでいる中心地はSNSに移り始めています。

また、動画でのコミュニケーションも主流になりつつある時代ですから、会話するスキルは不要になっていくのかもしれません。

ただ、「言葉」を避けて通ることはできません。

みんなが共通して使える道具の使い方は、知っていて損はありません。

どんな言葉を、どんなふうに使うかで、あなたの印象はつくられます。
発した言葉が、あなたをつくるのです。

ほんのわずかな伝える準備で、自分の周りのみなさんの表情が変わっていきます。
その表情に囲まれたあなた自身も、さらにいい変化を見せ始めるでしょう。

悪循環を好循環に変えるのは、あなたの「伝える準備」です。

伝える準備

もくじ

1章

言葉を選ぶ。
そして、ためておく

2章

言葉の積み重ねが自分をつくる

日記は自分自身へのインタビュー

3 章

自分の言葉を、相手に伝える

おわりに

1 章

言葉を選ぶ。
そして、
ためておく

経験が、言葉をつくる

「美しいものを見て、おいしいものを食べなさい」

私が新人アナウンサーだった頃、
何人もの先輩や上司から聞かされた言葉です。

誰だってそうしたいですよね。
でも、その当時、新入社員で一人暮らしを始めたばかりの私には、
そんなお金も時間もありませんでした。

その前に、
美しいものとは何か、おいしいものはどこにあるかもわかりませんでした。
あの言葉は、実際にお金を使うのではなく、
「その目を養いなさい」という教えだったのかもしれません。

私たちアナウンサーは「言葉」で仕事をします。
しかし、言葉の強さだけで勝負しているわけではありません。

その瞬間に、必要十分な言葉を、「どんな人」が伝えるかが大切なのです。
つまりあの言葉は、アナウンサーである前に、
人として一人前になれという教えでもあったのでしょう。

今、食リポという言葉が浸透しつつありますね。
食べてその味をリポートするというのが食リポですが、
これがアナウンサーにとってとても難しい。

おいしい！
甘い！
アツアツ！

これだけではテレビを見ている方に、多くは伝わりません。
ですから、リポーターのみなさんもいろいろなアプローチをしています。
別の食事に例えたり、

リズムよく形容詞を並べたり。
無言のまま頷《うなず》く方法もあります。
見た目においしく食べる人は、それだけで食事が形容されていきます。

ただ、そういった「才能」があまりない人には、経験が力になってくれます。
運動会の日に母が作ってくれたから揚げ、
昼休みにダッシュして買いに行ったカレーパン、
初めて自分で買った赤ワイン、などなど。
自分の経験の中から、理解してもらえそうなシーンを切り取るのです。
仮に相手がその経験をしていなくても、雰囲気を伝えることは可能です。

一方、食事自体の表現でいえば、今まで食べたものが土台になります。
いつまでも残るオレンジの香り、
ムースのようなやさしさ、
旅館でいただく炊き立てご飯、などなど。

その表現のほとんどは、みなさんの経験から生まれます。
使う言葉が素敵であるほど、その人が素敵に見えるのはこのためです。

みなさんを包むファッションと同じで、
日常で使う言葉がその人を飾っていくのです。
だからこそ経験することが大切で、
私たちアナウンサーにとっては
「美しいものを見て、おいしいものを食べなさい」
というアドバイスにつながっていくのかもしれません。

決して、きらびやかな言葉を使う必要はありません。
みなさんらしい言葉であればいいのです。
経験を重ねていくほどに、「人間性」と「言葉」が融け合う日がやってきます。

Q.

あなたの人生に影響を与えた言葉は、どのようなものですか？

発する言葉があなたをつくる。
だからこそ、
言葉選びに
時間をかけたい

夕方のニュース番組が終わると、私のデスクに後輩たちが集まってくれます。
そこに神社があったからとりあえずお参りする、という感覚に近いのでしょうか。
もちろん、私にお参りしてもご利益はありません。
ただ、その表情がきらきらしていたり、自分の放送に納得できず悔しそうだったり。
せっかく集まってくれるので、
こういう時こそ何か言葉を贈ってあげたいですよね。

もちろん、下手なことは言えませんので、
普段から後輩の仕事をしっかり観察して準備しておきます。
具体的に私が準備しているのは
「もし聞いてきたら、こんなことを言ってあげたい」というリストです。
そのリストは、本番中のわずかな合間に手元のノートに書き留めていくのですが、
最近は私がそのノートを取り出す動きを後輩が目ざとく見ていて、
とってもやりにくい（笑）。
なお、そのリストは後輩が聞いてこなければ、記録として残すだけです。

さて、どんなことを書いておくかというと、
例えば、「ニュースの読みが単調になってしまう原因とその解消法」などですが、
それを伝えたところで後輩がすぐに弱点を克服できるわけではありません。
このノートの役割は、どちらかというと、
以前のアドバイスとどれだけ重なっているか、
同じことを言われてモチベーションを失わないか、を確認することにあります。
ですから「アドバイスしすぎないように」注意するという意味で活用しています。

もともと私は、言葉の瞬発力だけはありました。
しかし、その言葉を選びきる慎重さに欠けていたと思います。
手元の一番近いところにあるまあまあの言葉をさっと掴《つか》んで、後輩に手渡す。
こちらとしてはできるだけ早く、タイムリーに、と思って発した言葉なのですが、
そんな時はだいたい、後輩の表情が曇っていました。
みなさんも、その時の感情で言葉を発して後悔した経験はありませんか。

例えば「あの仕事どうでしたか？」と不意にアドバイスを求められた場合、
「よかったよ」という言葉だけでは足りないことは、自分でもわかります。
だからこそ、内心焦りながら多くの言葉を追加していくのですが、
その言葉の多くが「練られていない」ものであることが相手に伝わると、
途端にアドバイスの効果は薄れます。

後輩は、自分自身へのアドバイスを求め、成長しようとしているのですから、
普段の何倍も集中して話を聞いています。
また、自分を理解した上でのアドバイスかどうか「品定め」すらしています。
だからこそ、**真剣勝負**には、相手を上回る準備が必要だと考えています。

なお、アドバイスの準備ができていない時、私は、
「今度しっかり見直しておくから時間をくれないか」と言ってしまいます。
その場しのぎの言葉が届かない「冷や汗」を何度もかいてきたからです。
結局、よりたくさんの時間を使って言葉を練り、アドバイスすることになるのですが、
それならば、普段から準備をしておきたいと考えるようになったのです。

言葉を寝かせる

一方、今では親子ほどの年齢差がある後輩と多く仕事をするようになりました。
ですから私のアドバイスは、効きすぎるか、意味不明かのどちらかでしょう。
私なりにそんなリスクを感じ取り、始めた行動が、
「言葉を寝かせる」ということでした。
それが先ほどのノートにアドバイスを書くリストアップ作業にもつながっています。

実際に寝かせてみると、わかることがたくさんありました。
アドバイスしようとしていた言葉がむき出しだったり、ほころびがあったり。
そのまま伝えていたらどうなっていただろうと、怖くなります。
今では、寝かせて冷静になったところで、再び言葉を選びなおしています。

例えば、後輩のニュースの読み方について

「高い音が続いて聞きづらい」という印象を持ったとします。

でも、この印象をそのまま伝えると後輩は混乱します。それはそうです。

生まれてからずっと同じ話し方なのに、それがおかしいと言われるのですから。

その混乱を前進に変えるためには、こちらが言葉を選びなおす必要があります。

そこで、「高い音が続いて聞きづらい」という先ほどの言葉を一日寝かしてみます。

すると翌日、不思議と別の言葉が浮かんできます。

自分の視点やスタンスも変わっているからかもしれません。

例えば、

「高音を効果的に使うために、低音を増やしてみよう」

「高音を出すのは疲れるから、自分にも優しい低音を使おう」

「実はあなたのストロングポイントは、低音だ」

といったように、同じ意味でもひと工夫することで伝わり方が大きく変わってきます。

ネガティブな表現を使わず、後輩の背中を押してあげるように言葉を選ぶ。

みなさんにも必ずできます。

相手にフィットする言葉を見繕《つくろ》う

ここで少しだけ別のお話をしますが、
私の母は、なぜか洋服を作れます。

私は子供の頃、サッカー少年団に入っていて、
練習で使う短パンも母が簡単に手作りしてくれました。
あの頃は「みんなと同じメーカー品がいい」と親不孝なことを言っていましたが、
何でも作れてしまう母親を、子供ながらに「すごいなあ」と思っていました。

ある時、母親が布や糸を買いに行くというので、ついて行ったことがありましたが、
そのお店で見つけたのが驚きの風景。
目の前に広がる「ボタンだけで埋め尽くされた1フロア」でした。
丸いもの、四角いもの、星形のもの。

ボタンの入った引き出しを、お客さんそれぞれが開けて覗《のぞ》いています。
色も無数にありました。
私もいくつか手に取りましたが、
こんなボタンはどんな服に合わせるのか、と考えるだけで面白かったものです。

このボタン選びに通じるのが、言葉選びです。

どのボタンも、左右を留める役割は果たします。
しかし、それが服に合うボタンかどうかは別問題です。
ボタンとしての仕事を果たした上で、服を着る人も喜んでくれるボタンはどれか。

言葉を選ぶ準備とは
たくさんの言葉を引き出しに集めておいて、
その人にフィットする言葉を見繕い、
最後に一つに絞ること。

まさか、母親の洋裁が言葉のチョイスに生きるなんてびっくりです。
先日も私の家のカーテンを作り替えてくれるというので、実家に行きました。
母親は今でも、ミシンを操っていろいろと作り出しているのです。

生地の厚みに合うミシン針と糸はどれかと繰り返し、納得のいく縫《ぬ》い目を追い求める。
まさに「私の原点、ここにあり」でした。
言葉のチョイスにこだわりすぎて後輩を困らせないようにと、心に誓いました。

Q.

準備をせずに伝えてしまい、機能しなかった言葉はありますか？

大切な瞬間に使う
言葉こそ、
とことん選ぶ

どんな言葉にも罪はなくて、
その「様」を表す最適な存在として役割を果たしています。
どんなに汚い言葉でも、その役割を見事に果たしているから、
使われ続けているのだと思います。

ここでお伝えしたい、いい言葉、悪い言葉とは、
言葉自体の容姿ではなく「言葉の選び方の良し悪し」に近いものです。

今回は思い切って、具体的な流れから先にお伝えすると、

1　言葉選びに手間をかけられたか
↓
2　選んだ結果に満足できたか
↓
3　その言葉は相手に伝わる力を持ったか

最初からハードルを上げてしまったでしょうか。
言葉くらい好きに使わせてくれという声が聞こえてきそうですが、
実は大切な瞬間に使う言葉ほど、この確認が力を発揮します。

実際にはどういうことか、先ほどの「洋服のボタン」を例に使うと、

1　いろんなボタンを試してみたか
　↓
2　納得のいくボタンだったか
　↓
3　そのボタンは相手が喜んでくれたか

こんな流れでご説明したら、少しわかりやすくなったでしょうか。
この中でも最初の「言葉選びの手間」が一番大切で、難しく、でも楽しいのです。

言葉のわらしべ長者

後輩の仕事のパフォーマンスが「いまいち」だった時に何と言うかを例にしましょう。
いまいちの状態を、
他の言葉で前向きに言い換えられないかをたくさん考えます。

「あと少しで合格」
「10点だけ追加したい」
「もっとやれる人だよな」
「気持ちは十分見えた」
「いい時と比べると、惜しい」
「こんなもんじゃないし」
「納得したくないだろ」
「今日が大舞台じゃなくてよかった」

今思いつく限り、書き出してみましたが、
実は、後半に行くにしたがって、言葉の変換作業だけではなく、
感情が入っていくのがおわかりでしょうか。
こんな「言葉のわらしべ長者」を行いながら、
ネガティブアドバイスを前向きに変える手間をかけていくのです。

実は、こういうことが初めからできる人は世の中に存在します。
簡単にいうと「優しい先輩」です。
でも、私はこれができませんでした。
だからこそシンプルに「いまいち」と言われた後輩は、顔が曇っていたのでしょう。
この場をお借りして、言葉を選ぶ手間を惜しんだことを謝ります。
古くから付き合いのある後輩のみんな、大変申し訳ありませんでした。
おかげで本が書けています（本当にすまん）。

自分にとってベストのアドバイスが、相手にとってベストとは限りません。

だからこそ、瞬発力を重視した「言葉のかるた取り」ではなく、じっくり成長を待つ「わらしべ長者」がちょうどいい。

この手間暇こそが、相手に伝わるエネルギーを生むのだと信じています。

Q.

36ページの煮詰められなかった言葉を、今ならどう伝えたいですか？

日記は、自分を俯瞰で見るドローン

さて、言葉を選ぶためには、たくさんの言葉を引き出しに集めておくことが大切、
とお伝えしてきましたが、
私は1994年に日本テレビに入社してからずっと、日記を書き続けています。
後ほど詳しくお伝えしますが、主に仕事の日記です。
しかも小さな空間に5行だけ。
書き始めた当初は仕事内容のメモだけだったのですが、
今では文章として空間にびっしりと書くようになりました。
振り返ると、この日々の積み重ねが言葉選びの土台になっていると思います。

長年日記を書いていると、
その日の自分がどんなコンディションなのかが見えてきます。
例えば、書いた1行の末尾が
「しなければならない」というような場合、いくつかのことが見えてきます。
1つめは、その時の自分が「追いつく」立場にいるということです。

宿題をやらなければならない
電話で報告をしなければならない
お皿を洗わなければならない
これは、過去に対する仕上げが必要な状態です。
そんな時には「日々に追われているなあ」と気づくことができます。

もう1つは、「煮詰めるエネルギーが不足」しているということです。
私の日記は5行しか書けないので、
「しなければならない」というひらがな9文字はスペース的にもったいない！
また、そんな時はたいてい、ペンだけふらふら進んで、
旨味の足りないおみそ汁のような日記になります。
読み返してみても、どこかうす味です。
一方、好調な時は、漢字とひらがなのバランスが絶妙です。
読み返すと、俳句のようなリズムが生まれていることにも気づきます。
これは、長年書いていてもなかなかやってこない感覚ですが、

主に、エキスになるまで煮詰めていない時に「しなければならない」が登場します。
また、疲れていて、他の表現が浮かばない場合にもよく見られます。

ただ、
「あれ、疲れているかも」と気づけば、こちらのものです。
2章でも詳しくお伝えしますが、
日記は、自分を俯瞰で見ることができるドローンのような役割を果たしてくれます。

寝る前に「やることリスト」を作る

なお、参考にはならないかもしれませんが、
私の寝る前の習慣について書かせてください。
私は翌日にやることリストを、
いらない紙の裏側に書き出していますが、
そこでは

「したいこと」と「しなければならない」ことをぼんやりと分けています。
それぞれを分析してみると、
したいことは「未来」に関するもので、
しなければならないことは「過去」に関するものです。

・後輩のサッカー実況チェック
・いただいた本のお礼
・会議室の予約
・食事会の日程連絡
・会社の歯ブラシを新しくする
・来月用企画書の作成

前の4つがしなければならないことで、後の2つがしたいことです。
このようにリスト化すると、
自分が追い込まれているのか、余裕があるのかがわかります。

これを見ると「明日は30分早く起きようか」とスケジュールが動き出すのです。

一方、リストアップができたら、もうひと工夫します。

その工夫とは、

「完了に必要な時間」を書き添えるというものです。

・後輩のサッカー実況チェック　2時間

・いただいた本のお礼　15分

・食事会の日程連絡　10分　などなど。

お礼と日程連絡は会社への移動中にできるとか、

会議室の予約は15分で終わるけど、会社に到着してからしかできないとか。

やることリストから自然と明日の動きが見えてきます。

私はこの紙を、明日持っていくカバンの上にはらりと置いておきます。

寝る前のたった10分で、翌日の動きがガラッと変わります。
また、頭に余計な心配ごとが残らないので、気持ちよく眠りにつけます。
みなさんも敏腕マネージャーになった気分で、
翌朝の自分にスケジュールを送っておきましょう。

Q.

あなたはどのような時に、自分を振り返っていますか？

自分を知るために、徹底的に書く

最近、私の周りに面白い変化が生まれています。
私の学生時代の同級生や、年齢の近い同僚から
「うちの子供の相談に乗ってくれ」というオファーが増えたのです。
若手世代の後輩や学生から、将来のことを相談されることは今でもありますが、
まさか同僚の子供とは！
ただ、若い人の悩みというのはだいたい共通していて、

・将来、何になればいいかわからない
・今の仕事にやりがいが見つからない
・自分がこの会社で何をすべきかわからない

といった「人生のエンジンがかからない状態」の相談です。

そんな時に私が勧めるのは、書くことです。

エンジンがかからないみなさんは、
その前に「やりたいことがわからない」のではないかと思います。

やりたいことが見つかった時、私たちはとんでもないパワーを発揮し、前に進めます。
壁にぶつかったとしても、そのエネルギーと勢いで乗り越えられるはずです。

私も大学生の頃、自分がどんな仕事をしたいのかわかりませんでした。
アナウンサーになれたらいいなとは思っていましたが、米俵の米1粒ほどの確率で、
現実としては他にも就職希望を持っていなければなりませんでした。
その前にまず、自分のことがわからなければ就職活動ができない。

そこで行ったのが「徹底的に書く」ということです。

何をしたいのかを書くという作業ではなく、
自分の好きなこと、いやだと思うことを書けるだけ書くことにしました。

それが自分の方向性を決めると思ったからです。

初めのうちはいくつも頭に浮かんで、すいすい書き出すことができました。
しかしだんだん勢いは落ち、次第に苦しくなってきます。
大学ノート1枚をびっしり埋めるところまではきましたが、その次が出てきません。
それでも何とか書き出して、母親にも聞いて、友だちにも聞いて、さらに書く。
起きたら書いて、寝る前に書いて、思い出したら書いて。
これを3日ほど続けました。
晴れて、3ページ分の好きなこと、嫌いなことリストができ上がりました。

そのリストを見直してみると、実は同じような項目がいくつも見つかります。
次のステップとして、その似たような項目を集めて、言葉の吸収合併をしていきます。

例えば、

「誰かのために働くこと」
「ありがとうと言われること」
「人の役に立つこと」

それぞれは違う内容ですが、その芯は同じです。
この3つの言葉を「誰かのために働くこと」に代表させ、吸収合併します。
もちろん、新たな別の言葉を生み出してもかまいません。
今考えると、これが「煮詰める」作業だったのかもしれません。

さてさて、3日使って書いたその結論は何だったのかというと、
サッカーのそばにいたくて、
テレビを見るのが好きで、
お酒が飲めたらよい（笑）。
煮詰めた結果はシンプルですが、煮詰めたことで頭の中の整頓ができました。

そこからは、この3本柱に沿った企業を受けようと思ったのです。
私が資料を集めたのは
テレビ局に始まり、
ユニフォームやスパイクを作っていたスポーツメーカー、
Jリーグのスポンサーをしていた飲料メーカー、
競技場の芝の管理会社、
そして、サッカー協会で仕事をするにはどうしたらいいかまで考えました。
その過程で全国のテレビ局を受けてアナウンサーを目指すことも考えましたが、
サッカーの中継をしていないテレビ局もあり、3本柱から外れてしまう。
結局、私はアナウンサーとしての就職活動ではなく、
自分で書き出した希望の「たて軸就職活動」を選択しました。

そのためか、どの面接でも軸がぶれず堂々と答えられました。
一方、うまく答えられなかった場合はご縁がないのだと考えることができました。
結果として、特に才能もない私がアナウンサーになれましたが、

志望動機の軸の強さが力を貸してくれたことは間違いありません。

どんな仕事でも料理でも、下ごしらえがとても大切ですね。
あとは前に進むだけという状況がつくれたら、やりがいは自然に備わると思います。
私が言葉を積み重ねるようになったのは、ここが原点です。

Q.

あなたの「人生のエンジン」がかかるのは、どのような時ですか?

書くことで、
努力の仕方を
見つけ出す

私は今でこそニュースを担当していますが、
少し前まではスポーツ実況も担当していました（本当です）。
実況の世界は果てしなく深く、
私は入社1年目から実況のブラックホールに吸い込まれていきました。

当時、Jリーグは開幕2年目。
ゴールデンタイムと呼ばれる夜7時から、試合の生中継がありました。
駆け出しだった私の仕事は、主に先輩アナウンサーの実況サポートでした。
いざ放送席に入ると、
サポーターの大きな声援を聞いては圧倒され、
実況用の機材が目に飛び込んできては圧倒されていました。
実況しない新人の私が、一番興奮していました。

しかし試合開始のホイッスルが鳴り試合が始まると、
私の興奮をよそに実況する先輩は冷静で、

よどみなく、同じ表現を使わず実況をしていきます。

プレーが動く中でも、的確に言葉を選び取る先輩を見て、私は絶望すら感じていました。

「大変な世界に入ってしまった。こんなことできない」

ここから「語彙《い》」と「瞬発力」に挑む、しんどい戦いが始まったのです。


さて、この時も私が取りかかったのは「書く」ことでした。

会社にある先輩たちの実況ビデオをかき集め、キックオフから試合終了まで、一言一句すべてを紙に書き出しました。


1試合分書き出すと、大学ノートにびっしり15ページくらいになるのですが、必死にやっても書き終わるまで1週間はかかります。

それをとりあえず10試合分。なんとか3か月で完了しました。

今考えると古いアプローチですよね。

でも、ＡＩだって基本的な情報を大量に「食わせて」成長しますから、どの時代も基本の習得と分析が大切なのだと思います。

さて、その大量に書き出した実況ワードから、ある結論を導き出すことができました。
それは、
『実況は「つなぎの言葉」と「味な言葉」でつくられている』という結論です。

例えば、
「右サイドからクロスボールを上げる！
逆サイドから直線的に走りこんで、
ヘディングシュート、ゴーーーール！」

この中でいえば「直線的に走りこむ」というフレーズが「味な言葉」にあたります。
それ以外の部分は、繰り返しの実況練習で習得できる「つなぎの言葉」です。
「直線的」という表現は、点取り屋が最短距離を走るシーンにはぴったりで、
まさに「味のある言葉」でした。

お鮨《すし》で例えるならば「ひと仕事してあるネタ」とでも言いましょうか。
たった一口で時間と工夫が味わえる、そんな言葉のことを指しています。
そして、この味な言葉こそが「語彙」なのです。

一方、「つなぎの言葉」をいかにスムーズに出すか。
これが「瞬発力」につながっていきます。

結局私は、スポーツアナウンサーとして大成しませんでした。
しかし、書き出すことで実況ワードの「仕組み」を理解することができました。
大成しなかった代わりに
ブラックホールの成り立ちを解明した、といえば大げさですね。

「苦手」の正体にライトを当てる

さて、実はここから先がものすごく大切なのですが、ものの成り立ちがわかれば、努力の仕方が見えてきます。
努力の仕方が決まれば、あとは頑張るだけ。
そこからは単純作業に没頭できるのです。

人間誰しも、悩んでいることには「自分の苦手」なポイントが含まれています。
その苦手の正体にライトを当て、仕組みを知ることで解決が見えてきます。

動かない時計でいえば、分解して、ほこりが原因なら取り除く。
部品が壊れているなら交換する。
それでもだめなら新しいものを購入するでしょう。
どこが問題なのかをはっきりさせることが大切です。

これを例えば「電話応対が苦手」という人で考えれば、
まずは、その中の何が苦手なのかを知ることが大切です。
敬語が苦手なのか

緊張するタイプなのか
アドリブが苦手なのか
より具体的に自分の苦手分野を把握することがとても大切ですし、
そこまでくれば、自ずと解決法、努力の仕方が見えてきます。
また、自分には向いていないという結論にたどり着くことも大切です。

一方で、できない理由が解明できた時には、その後、「飛躍的な成長が待っています。
私はよく
「苦手なものほど得意になる可能性がある」と後輩に伝えていますが、
だいたいが苦手だと敬遠し、単なる食わず嫌いだったということが多いのです。

なぜできないか、その理由に特化してじっくり分析する。
その上で、信頼している先輩や上司に相談すれば、答えはさらに明確になるはずです。
仕組みを知ることこそ、社会人の成長には最も大切だと考えます。
書き出すことは、その過程で重要な役割を果たしてくれます。

ルールと仕組みを解明する

さて、ここからは余談ですが、
私は文系の人間でありながら、高校時代は「物理」を選択していました。
この物理という教科は、いわば地球上のルールを教えているのだと考えています。
短距離選手の足の速さも、
ホームランバッターのボールが飛ぶ角度も、
階段を上る時に足がきつくなるのも、物理で説明ができます。

軽やかに階段を上りたいなら、持ち上げたい物体を軽くすること。
これを人間に当てはめると、体重を軽くすればいい……。
つまり「適度に痩《や》せる」ということですね。

ルールと仕組みを解明し、単純作業にしてしまえばこちらのもの。

最後の最後は「気合い」ですけれど、これも一つの仕組みですね。

Q.

あなたの悩みの中でも、最も「苦手」なポイントはどこですか？

「やりたくないこと」と向き合う2つの方法

ここまで読んでいただいた中で、
私が、すべて前向きに行動してきたように思われるかもしれませんが、
私にもやりたくないこと、気分が乗らない仕事がたくさんありました。

・なんとか逃げられないか
・別の方法があるのか
・やり方を変えればいいのか……などなど

後回しにしたり、言い訳を考えたり、
やりたくないなあと、自宅で声に出したりしてみたこともあります。
ある程度、経験を積んできた社会人のみなさんも、
自分の苦手な仕事や、自分の実力を超えた仕事に悩んできたかもしれません。
みなさんのその悩みがもし、人間の尊厳にかかわるようなことであれば、
すぐにやめたらいいし、その場を離れることも考えてほしいと思います。

私は専門家ではないので、お一人お一人に適したことは言えませんが、

「人生の選択肢は自分が思うより広い」

ということだけはお伝えしておきます。


では、それ以外のやりたくない、気分が乗らないことについてはどうしましょう。

日常生活から考えていくと、こんな気分になるでしょうか。

・なかなか気が向かない
・やれないことはないけど勇気がいる
・苦しいのがわかっている……などなど

さて、このように見ていくと、ある不変の法則が見えてきます。

「あとは自分が動くだけ」

こんな、自分のやる気の問題だけの場合は簡単です。

2つのことを試してみてください。

1つ目は、なんでいやなのかを自分に聞いてみる。

たいていの場合「なぜいやなのか」が分析できていません。
でも、その原因を探っていくと、実は大したことではないのです。
その対象について目を背けず分析すれば、道は必ず見えてきます。
ほんの10分でも真剣に考えるだけで、状況は大きく変化していきます。

例えば、たまったメールの返信や部屋の片づけなどで理由を考えてみますと、
いずれも手付かずのままで面倒ですよね。
そう、この「手付かずで面倒だから」が答えなのです。
この当たり前の原因が意外に意識できないものなのです。

ここまでくると選択肢が生まれます。

1　そのままにしておく
2　手を付ける

人生は自由なので、そのままにしておいてもまったく問題ありませんが、「手を付ける」のであれば、動き出すことができます。

私の場合はここで、その作業に何分かかるのかを考えます。
それが1時間だけ頑張れば終わるものなら、「そんなことで何日も悩むなんて、その時間がもったいない」という結論になるのです。
いやな理由に突き当たれば、スムーズに体が動き始めることは実際にあります。

2つ目は、やれるところだけ、やる。

理由はシンプルで、動かないからゴールが遠いままなのです。

いやいやながらも前に進んでみると、
実は「景色」が変わります。

例えば「1日に200回腕立て伏せをしろ」というミッションがあった場合、
即座に「そんなことできるわけない！」となりますね。
また、苦しいのがわかっているから、なかなか動き出せません。
でもそんな時は、やれることだけやってみればいいのです。

その人が3回できるなら、3回だけ頑張る。
次の日も3回でいい。
でもそのうち4回できるようになる。
そうなると、実はだんだん可能性を感じるようになってきます。
10回まで行けばＯＫ。
あとは絶対に軌道に乗ります。

働いていれば、いやな仕事はたくさんあると思います。
でも、その仕事を通して自分が成長するなら、逆に本気で取り組んだほうがいい。
また、その姿勢は周りの誰かが必ず見ています。
苦手なものに真剣に取り組むほど、実は大きなメリットがあるのです。

恥を捨ててチャレンジすると、自分の幅が広がる

余談ですが、ここで私のいやだった仕事、聞いてもらえますでしょうか。
いやというより、とっても恥ずかしかった思い出です。

私がまだ20代後半だった頃、初めてニュース番組の司会に起用してもらいました。
その番組はすでに何年かの歴史があったのですが、
新たに起用される私のことを宣伝するために
ＰＲ動画を作成してくれることになったのです。

その撮影ロケ地が、人通りの多い東京・渋谷のセンター街。
もちろんそこにいるのは若い人が中心です。
ニュースはあまりご覧になっていない世代……。
すでにいやな予感はありました。

撮影の内容はというと、
いくつかのまあまあわかりやすいヒントを出して、
新しい司会者は誰かを当ててもらうというもの。
当ててもらったら、建物の陰に隠れていた私が登場して、わーいとなる想定です。
でも、私の知名度は私が一番知っています。
かなりいやな予感はしていました。

撮影が始まり、何人かが答えてくれましたが、当たりません。
渋谷でも世間でも、私のことを知っている人なんてほとんどいません。
ほどなく方針が変更され、「当たらなくても私が登場する」ことになりました。

当たらないまま出ていく恥ずかしさに、笑顔も引きつりました。

ただ、渋谷の若者は思いのほか心優しくて、
私が登場した後のリアクションには深いお気遣いをいただきました。
「この人だれ？」なんて言わないでいてくれました。

あの時私は、「これたぶん成立しないロケだと思います」とは言えませんでした。
それは上下関係から言えなかったのではなく、
こういう想定だとうまくいかないという経験を持っていなかったのです。
スタッフも、一生懸命に私をＰＲしてくれようとしていましたから、
余計に言えませんでした。

知名度がなくてつらい、このことを痛感したからこそ、
知名度がなくて仕事がうまくいかない後輩のこと、痛いほどわかります。
そう考えると、あの時私は貴重な経験を得たのだと思います。

でも、今でも覚えているくらい恥ずかしかった。
若い頃はそんな気持ちになることがとても多かったのを覚えています。
ただ、あの頃のほろ苦い思いがあったからこそ、今、誰かの悩みに寄り添えます。
また、「えいや！」とやってみたからこそ、自分の幅が広がったのだと思います。
いくつになっても恥を捨て、チャレンジすること。
その素晴らしさは、恥を捨ててチャレンジした人にしか味わえません。

Q.

やりたくないことをやってみたら楽しかったという経験はありますか？

いつも心に絶対値

アナウンサーは新聞や雑誌など、他のメディアから取材を受けることがあります。
その際に、多くの記者がインタビューのきっかけにしているのは、
私たちが自ら書いている、日本テレビのＨＰにあるプロフィールです。
春になると、そのプロフィールの更新時期がやってくるのですが、
「あなたの好きな言葉は？」という項目は入社以来変わらない設問です。

私にとってその言葉とは「いつも心に絶対値」です。

みなさん、すでに違和感をお持ちだと思います。
まず、絶対値って何なんだと。
私自身も、フレーズとしては今ひとつだとは感じていますが、
入社以来この言葉が、一番自分にフィットしているのです。

「絶対値」とは、数字の両側に置く「ついたて」のような記号です。
この記号をマイナスの数字にかぶせてあげると、マイナスの符号が取れる。

つまりマイナスの数値が大きいほど、数値は大きくなるということなんです。

$$|-100| = 100$$

たしか中学生の頃に習ったと思いますが、
こんなシンプルな記号なのに、とんでもない魔法をかけるなあと、
子供ながらに驚いたものです。
この変化を自分の生き方に当ててはめてみたのが「いつも心に絶対値」です。
苦しい時ほどより多くの経験を得られると考えて、仕事に取り組んできました。
記号の一つである絶対値が、私たちの人生に前向きなエネルギーを生み出すなんて、

こんな言葉に出会えたこと自体が幸せです。
今でも、時々ひょっこりと顔を出してくれています。
みなさんにも、人生で一つは大切な言葉があるのではないでしょうか。

ただ、この世界観を他の人と共有できるかどうかは別のお話です。
私自身はこの絶対値に絶対の信頼を置いているのですが、
後輩にこの話をしても、全員が感動するわけではありませんのでご注意ください。
だいたいの後輩が、その場でフリーズしておりました。

Q.

あなたの好きな言葉は何ですか？

「言葉の化学反応」を楽しむ

料理をなさる方は、
どれくらい調味料を入れたらどんな味になるか、
その感覚がおありだと思います。
また、ゴルフをなさる方は、
使うクラブの大きさによってボールがどれくらい飛ぶか、
その感覚をお持ちだと思います。

実は言葉も、調味料やゴルフクラブと同じで、
果たしてくれる役割はだいたい決まっています。
ですから、ある言葉を発した時に「予想外の反響があった」というのは、
私たちアナウンサーとしては避けたい現象です。

私たちはそんな状況を避けるため、
普段から言葉の効果を繰り返し確認し、本番に臨んでいます。
同僚アナウンサーとの会話に使ってみて、その反応を見るのですが、

これは新しいゴルフクラブを練習場で試し打ちするような感覚と似ています。

ただ、その一方で、
言葉の「組み合わせ」となると、話は大きく変わります。
それぞれの言葉が力の掛け算をするように生き生きとしてくるのです。
砂糖、塩、しょうゆ、みそ、みりんなど、
調味料の組み合わせが最高の味を作り出すのと似て、
ここでは長年の勘がものを言います。
だからこそ、多くの言葉のストックと言葉を組み合わせる実験が大切なのです。

ある時、ニュースの「タイトル」について、先輩デスクが悩んでいました。
その時のニュースの内容は

・不祥事を起こした会社だった
・でも会社復活のために社員を励まさなければならなかった

・という社長会見の取材だった

というものでした。

みんなから知恵を集め、
結果的に採用されたタイトルは「苦しい激励」。
普段はなかなか手を組まない言葉の融合に一同、唸《うな》りました。

「苦しい」という言葉も、「激励」という言葉も、普段は別世界で生きていますが、このように思い切って組み合わせると絶妙な味わいを生み出します。
私たちは知らず知らずのうちに、この「言葉の化学反応」を楽しんでいるのです。

Q.

あなたなら「激励」にどんな意外な言葉を組み合わせますか？

アナウンサー人生で最初の失敗

アナウンサー人生で最初の失敗として記憶していることがあります。
それは、ある言葉の読み方、いや、伝え方が間違っていたという失敗です。
学生時代にはなじみのない、私にとっては初めて目にする言葉でした。

「正殿松の間」
皇居宮殿の中でも、最も格式が高い部屋であり、
新年祝賀の儀や、内閣総理大臣の親任式、歌会始《うたかいはじめ》の儀など、
主要な儀式に使用されていることを、今では当然、理解しています。

当時、新入社員だった私は「わからないことは何でも聞きなさい」
と、報道のニュースデスクに言われていました。
ですから私は、この言葉についても素直に聞きました、
「これは何と読むのですか?」と。
するとそのデスクは笑顔を見せながら、優しく、丁寧に、
「せ・い・で・ん・ま・つ・の・ま」と教えてくれました。

実は、この丁寧な発音に落とし穴があったのです。

報道デスクは、私が、
『せいでん』か『しょうでん』かの確認作業がしたかったのだろうと考えていて、
私もその点では一致していました。

しかし私はその前に、とんでもない勘違いをしていて、
「正殿松」という松があるお部屋だと思っていたのです。
正しくは「正殿・松の間」です。

その状況でデスクが、
「せ・い・で・ん・ま・つ・の・ま」とゆっくり読んでくれたので、
本当の問題をあぶり出せなかったのです。
私は最後まで、
厳かな松の盆栽がお部屋にあるんだと信じて疑わなかったのです。

その後、本番が始まり、
私は堂々と「正殿松の・間」と発音して、番組は終わりました。
ミスだとわかったのは、放送後のことでした。

アナウンス部に戻ると、当時の上司が笑いをこらえきれず、
「おい、正殿松！」と私を呼びます。
しばらくの間、私は、正殿松という厳かなあだ名で生活することになりました。

どこで「読みを切る」かで、言葉の意味は大きく変わってきます。
巨額の『お食事・券』をめぐる『汚職・事件』が起きないことを切に望みます。

Q.

今でも覚えている言葉の失敗はありますか？

2章

言葉の
積み重ねが
自分をつくる

日記は
自分自身への
インタビュー

1章でもお伝えしましたが、私が日記を書き始めたのは、
アナウンサーとして日本テレビに入社した直後でした。

新人アナウンサーの仕事内容は、部内の雑用も含め多岐にわたります。
当時はまだ、社内のどこでも煙草が吸えたこともあり、
朝一番は灰皿の片づけから始まります。
その後、コーヒーをドリップし、冷蔵庫の飲み物を補充し、電話も受けました。
部内のテーブル拭きなどなど、
今では懐かしい駆け出しの仕事もたくさんありました。
そこに、
新入社員としての人事研修、発声練習、ニュース読みの練習、
先輩の放送チェックなど、本来のアナウンサーの仕事が重なります。
さらに、
新人アナウンサーの密着取材、番組PRの録音、夜のスポーツニュースの生放送と、
まさに息つく暇もなく時間が過ぎていきました。

一日として同じ仕事がない中、
自分が仕事に溺れてしまっているのが、はっきりとわかりました。
「このままでは仕事に自分が振り回されてしまう」と危機感を持ち、
まずはその日一日の仕事内容を書き出してみた、これが私の仕事日記の始まりです。

面白いことに、当時の日記を振り返ると、書いた字すら疲れていました。
その日の仕事内容を書き出すだけでしたが、
そのエネルギーすら残っていなかったのだと思います。
しかし、仕事内容を書き出す作業を続けていくうちに、
その日一日の自分の行動が整頓できるようになったのです。
仕事の種類は多くこなしていましたが、
アナウンサーとして成長できる仕事の割合があまり高くなかった。
もっと時間を有効に使えたのではないか、
本当はどんな一日にしたかったのか、

日記を書きながら自分に問いかけていました。
それはまさに「自分自身にインタビュー」をしていたのだと思います。

1か月、2か月と続けていくうちに、仕事内容の列挙だけではなく、
自分がどうしたかったのか、
その日の自分がどう感じていたのか、を書いていくようになりました。

もちろん、うまくいかなかったことを誰かのせいにしたり、
仕事がうまくいったことを自らほめたりと、
素直すぎて恥ずかしい文章も多くありました。
それでも、
自分自身と向き合うことで確実にその日のストレスをリセットできていました。
今年で日記は27冊目。
その日のうちに書くことができなかったとしても、
日曜日までにはその週の日記を書き上げてきました。

私は日記で自分をクールダウンさせ、次への準備を整えていたのだと思います。

本章からは、
私の言葉を支える日記の習慣と、そのメリットについてお伝えします。
何気なく書き始めた日記がその後、頼もしい味方になっていきます。

Q.

あなたが習慣にしていることはありますか？

【日記のメリット①】
1年前の自分、10年前の自分と比較できる

毎年、新しい日記は12月に買うようにしています。
1月始まりのシステム手帳を日記用のスペースとして利用していますが、
翌年用の日記を買う頃には年の瀬を迎えていて、
今まで書き込んできた日記を眺めて1年を振り返ります。

ページをぱらぱらとめくると、ボールペンのインクが染みこんだ紙面から、
いいことも悪いことも、その日その日の記憶がよみがえってきます。
日記を読み返すまで忘れていたことも思い出しますから、
人生という限られた時間を大切にしている方には、日記をお勧めします。

私が書いているのは主に仕事日記ですが、
その日の「感情の揺れ」についても書くことがあります。
揺れ幅が大きい日ほど、悩んでいたり、苦しんでいたり、時にはうれしかったりと、
喜怒哀楽が残されています。
過去の自分がどんなことを考えていたのかを思い出し、振り返ることで、

自分の成長や現在地を知ることができています。

特に私が毎年続けているのが、
あの東日本大震災の起きた3月11日の日記を振り返ることです。
3月11日は毎年、被災地から中継を行いますが、
現地入りする前に気持ちを整えてから東京を出発します。

震災が起きた当時の日記、1年後の3月11日、2年後、3年後と順に振り返ると、
被災地の復興、
地元住民との触れ合い、
中継中の自分のミスなどが鮮明によみがえります。
また、文字の丁寧さ、紙に書きつけるボールペンの筆圧からも、
その時の自分が見えてきます。

特に3月11日の日記は、放送を終えた帰りの新幹線で書くことが多いので、

ああすればよかった、こう伝えればよかったという反省とともに、
年に数回しか被災地に行けない自分が、
被災地の現状を伝えていいのかという葛藤も記されています。
今年の現地中継はどんな気持ちでやるべきだろうかと姿勢を整えるうえで、
仕事日記はなくてはならない存在なのです。

また、
なぜ現地から中継を行うのか、
このメッセージは誰に伝えたいのか、
本当に被災者に寄り添っているのか、を毎年考えています。

２０１７年の３月11日は土曜日でしたが、その日の日記にはこう書いてあります。

──

「土曜日だけど関係ない」そう言った自分がいて当然。現地から中継する。

この文章だけではかなり言葉足らずですが、日記なのでお許しください。
これは、放送中にポロッと
「今日は土曜日ですが、被災からの復興に平日も土曜も関係ありません」
とコメントしたことを日記に書き記したものです。

これは事前取材を通して生まれた言葉です。
あの時、時間が止まったままの被災者や、
家業を復活させようと努力し続けている方々が頭に浮かんでいました。
こういったことが日記の1行からはっきりと思い出されるのです。

また、とても大切な仕事がある時にも「過去の同じ日」の日記を振り返ります。
特に選挙特番など、数年に一度しか担当しない番組では、
緊張感と高揚感、終わった後のビール缶の冷たさなど、
日記を振り返れば思い出すことができます。
その一方、忘れていた注意点や、交わした会話の内容などが記されている場合は、

しっかりとその点を押さえて「本番」に臨むことができるのです。

例えば選挙特番の場合では、
候補者の奥様の名前を読み間違えて番組中に訂正したことを毎回思い出します。
災害現場の取材であれば、

――被災地ではなくふるさとであり、がれきではなく誰かの思い出である。

こんなことを、日記を読み直して思い返します。
こうして自分で自分の背筋を伸ばして、仕事に向き合うのです。

私はおとといの夕ご飯も忘れてしまっていることがあるので、
毎日の日記は未来の自分への贈り物だと思って続けています。

Q.

1年前のあなたには、どのようなことがありましたか？

【日記のメリット②】

緊張もイライラも、すべて吸い取ってくれる

「アンガーマネジメント」という言葉をよく聞きます。瞬時にわいた強い感情のコントロールは、社会人のたしなみでしょうか。

アンガーマネジメントには、数秒間待つことで、強い感情が整理される効果がありますが、字を「書く」ことにもその効果があるように思います。

いざ日記を書こうとペンを持った時はイライラしていても、文字を書くという行為自体には時間がかかります。画数の多い文字ほど時間が必要です。

ペンを走らせるわずかの時間が、時に感情をなだめることにもつながります。私の場合は、書くまでのタイムラグがアンガーマネジメントにつながっています。

また、心に引っかかっていたイライラも、書き入れるスペースを「汚したくない」という思いから、スーッと収まっていくことがあります。

白い紙のスペースを、乱雑に埋めていくか、心を込めて書いていくかでは書き上がりに大きな違いが生まれます。

なんだか小さいことでイライラしていたなと思えるようになれば、日記のおかげ。

精神統一にも使われる「写経」にも似た効果が日記にはあるのかもしれません。

いや、あると思います。

こんなふうに「書く」という作業を重ねているうちに、日記と写経のように、似て非なるものの共通項を発見することも書くことの素敵な副産物だと思います。

緊張の理由を突き止める

また、翌日の仕事に対して緊張が取れない場合も、私は日記に吸い取ってもらいます。

緊張した自分を日記にさらけ出すだけで、どこが緊張の原因なのか見えてくることがあります。

余談ですが、「緊張した時どうしたらいいのですか?」と聞かれることがあります。
実は、特効薬はありません。
しかし、緊張を減らす方法はいくつかあります。

緊張は、何に緊張しているか把握できていない時に起こります。
具体的に緊張の仕組みを解明できた時に、
あきらめという名の緊張緩和が訪れます。

私がサッカー中継の実況アナウンサーだった頃、
前日は緊張でほとんど眠れず、当日になっても緊張は続きました。
若い頃はその繰り返しで、毎回、正体不明の怪物との闘いでした。
しかしある時、先輩アナウンサーからありがたい一言をいただきます。
「うまくやろうとするから緊張する」と。

確かにそうでした。
私は、どんな状況にも対応できるように、状況別のコメントを作成していました。
立ち上がり5分までに点が入ったら、
前半のうちに3点差になったら、
試合終了間際に決勝点が生まれたら、などなど。
無限にあるはずのシチュエーションに立ち向かっていたので、
準備が永遠に終わらなかったのです。

そんなある日、緊張の根源にたどり着くために、
なぜ緊張しているかを書き出すことにしました。

・初めてのスタジアムだから
・多くの人が見ている時間帯の中継だから
・解説者がすごすぎるから
・先輩が真後ろで見ているから

・チーム戦術が複雑だから
・次のステップに進むために失敗できないから

などなど、思いつくだけ書き出します。

そうしているうちに、ふと、

・どんな試合展開になるかわからないから

という、我ながら「しょーもない」理由が紙の上に飛び出しました。

しかし、これが本当の理由だったのです。
スポーツ中継は、その日どんな結末が待っているかを予測しながら実況・解説するから面白いのであって、
そこがわからないから緊張するなんて本末転倒です。

でも、そこが最大のネックだったのです。

緊張する理由を書き出すなんて、みなさんは普通なさらないと思いますが、もし緊張しがちだという方は一度お試しください。

最悪のシチュエーションを想像する

さて、その後、実況のエンドレスな準備に悩んでいた私がどうしたかといいますと、実は必殺技を編み出しました。

その名も「ブックエンド理論」。

並んだ本が倒れないように両サイドから支える、あの本立てのことです。

必殺技とはかなり大げさであり、また正確にいうと理論でも何でもないのですが、私にはぴったりの対処法でした。

具体的には、試合における「最悪のシチュエーション」をまず決めてしまいます。

そのブックエンドの内側で試合の流れを読む準備をしたのです。

例えば、試合が5―0になってしまったことをブックエンドとします。
サッカーでの5点差はほぼ逆転が不可能ですから。
1点差、2点差なら、試合を面白く伝えられる。
3点差、4点差までは、1点返せばまだ希望は持てる。
しかし、5点差になると絶望的。
5点差になるまでにどう実況するかを大まかに決めるのです。

じゃあ、6点差になったらどうするのか。
その時は「驚く！」（笑）。
そうやって上手に開き直れた時に、緊張は軽減されていきます。
逆に5点差までなら対策ができていますから、
「運命よ、かかってこい！」という不思議な自信がわいてくるのです。
緊張の正体見たり枯れ尾花、となればみなさんの勝ちです。

Q.

あなたは緊張が取れないとき、何をしていますか？

【日記のルール①】
5行だけ書く

私が5行だけ日記を書く最大の理由は一つ、
私の日記帳の枠が小さいから！
これだけです。
しかし、5行だけ書くことにも、
いくつかのメリットがあることに気づきました。

1「すぐに書き終わる」

その日の出来事が「濃厚」だった場合は、書き始めてから1分で終わります。
その日が意外と平凡だった場合でも、書き始めてから3分かかりません。
また、日記をためてしまい、
週末に一気に書くタイプの人もいらっしゃるかもしれませんが、
それでも30分あれば書き終わります。
継続を成功させるには、作業がシンプルであることが大切です。

2 「言葉が煮詰まってくる」

「煮詰まる」という言葉は近年、
作業がはかどらず物事が行き詰まるという意味で使われますが、
本来は煮物がおいしく煮えていく様子から生まれた言葉です。
長年書き続けていると、たった5行では字数も限られているため、
できるだけ凝縮された言葉で多くの内容を表現したくなります。

例えば、
「もっと努力する必要があると本気で思った」という表現も
「真の努力が必要だと痛感した」とすれば、6文字分のスペースが生まれます。
その上、メッセージが濃縮され、深みが出たこともおわかりいただけると思います。
書くスペースが限られていることで、
日記帳という2次元の平面を、深みのある3次元に変える技術が身につきます。

3「言葉がカラフルになる」

少ないスペースで思いを書き記していくと、煮詰まった言葉を自然と探し始めます。
先ほどのような「言い換え」を模索するうちに、
見事にフィットする言葉に出会うことがあります。
また、その言葉が気持ちを明るくすることもあるのです。
特に否定形やネガティブな様子を肯定形で表現することが言い換えの醍醐味です。
「孤独」という言葉を「無限の自由」と言い換えたり、
「お腹がすいた」という表現を「何でもうまい状態」と言い換えたりすることで、
響き方は大きく変わります。
言い換え完了までの過程は難産であることも多いのですが、
そうして生まれてくれた言葉はとてもいとおしいものです。

この快感を一度味わうと、もっといい表現を探すようになり、
いつしか言葉のストックが増えていきます。

私たちアナウンサーには、端的かつ立体感のある表現方法が求められていますが、
この5行訓練が言葉のストック、そしてチョイスの強い味方となってくれました。

ここで、雲のかかった富士山の映像を見て、どう表現するかを例に挙げます。
「見えませんねえ」「天気がよくありません」と言ってももちろんかまいません。
しかし、どこか気持ちがすっきりしませんよね。
そこで、先ほどのように肯定形を目指して言い換えてみます。

「富士山が、恥ずかしがっています」

言葉遊びの域を出ませんが、
同じ風景でも言葉のひと工夫で気持ちがほっこりします。

実はこの「3　言葉がカラフルになる」の表題ですが、
はじめは「3　言葉が豊富になる」という表現でした。

でも、この表現ではみなさんにイメージを届けきれないのではないかと考え、
言葉の引き出しをいろいろ開けてみたところ、
「カラフル」という言葉が顔を出したのです。
こういった言葉遊びが会話を豊かにしていくのだと思います。

言葉とコーヒー

「煮詰まった言葉」で思い出しましたが、
私がまだ若手アナウンサーといわれていた時代に、
当時の上司がこんなことを言ってくれました。
「アメリカンコーヒーはこれ以上薄めれば飲めないだろう。言葉も同じだ」と。
うーん、なるほどなあ、と私は深く納得したものです。
それ以来、なるべく手のかかった言葉を選んで使うように心がけています。

しかし、その話には続きがあって、

「エスプレッソならお湯を足してもまだ飲めるだろ」
上司の言葉の勢いに、思わず「そ、そうですね」と答えましたが、
そんなはずはないと思っています（笑）。

今度、仕事に行き詰まった時、
濃いエスプレッソにお湯を足して飲んでみようかなあ。
コーヒーがお好きなみなさん、ごめんなさい。

Q.

昨日の日記を5行で書くとしたら、どう書きますか？

【日記のルール②】

ボールペンで書く

日記を書く時の相棒は、「黒ボールペン」と決めています。

私とボールペンのお付き合いは、新人アナウンサーの頃から続いています。
会社には豊富に文房具がありますが、
その中でも数回使われただけで、ほどよくインクの残っているボールペンが、
部内の引き出しにたくさん並んでいました。

このままでは引き出しの肥やし。

いつになったらこのペンは役割を終えられるのか……。

文房具の補充係でもあった新人の私は、そんな疑問を持っていました。

「よし、私が使い切ろう」

そう思ったのがお付き合いの始まりです。


スポーツ選手の取材でも、打ち合わせでも、よくボールペンを使いました。

ペン先の滑るボールペンは速く書き記すのに適しています。

またボールペンの透明なボディから透けて見えるインクが減るほどに、仕事をした、という充実感にもつながりました。

そのため日記も、自然とボールペンで書くようになっていったのです。


ボールペンで日記を書くと、間違えたら消せないという緊張感が生まれます。

しかし、その緊張感が言葉のチョイス能力を高めてくれています。

一発勝負だけれど、いい言葉で書き終えたい。

鉛筆は鉛筆の味わいがあり、大好きな筆記用具です。

しかし、日記に関しては「消せばいいいや」と思って書き始めるよりも、結果的にはいい出来になっていることが多くなっています。

5行くらいの分量であれば、一発勝負に対する集中は十分に持続します。


また、筆記用具にこだわることも日記を楽しく書くことにつながります。

お気に入りの万年筆で日記を書くのも素敵ですね。

筆記用具それぞれに長所があります。

私は黒いインクの持つオフィシャル感とインクの減りが見える達成感を求めて、ボールペンを選びました。

発した言葉は取り消せない

字が消せないという状況は、アナウンサーの生放送の仕事と同じです。
よく友人との会話の中で、自分の発言を誤解された場合に
「そんなつもりで言ったわけじゃないんだ」と言いますが、
私たちアナウンサーはその言葉が使えません。
テレビの前の一人ひとりに言い訳できない状況に向き合うために、
ボールペンでの日記は訓練にもなっていました。

また、リズミカルに日記を書いていると、
ふとした時に「て・に・を・は」を間違えることがあります。
こういった場合でも「その後の言葉を駆使」して、

なんとか文章を成立させることに力を注ぎます。

この作業は、みなさんが人前で話をする時にも使える能力の訓練にもなります。
多くの人が見ている中での発言はプレッシャーがかかりますよね。
もちろん「て・に・を・は」の精度もやや落ちます。
例えば
『みなさんの努力で』と言いたかったところ、
『みなさん「で」』と言ってしまうことは、よくあります。
そんな時には
「みなさんで…力を合わせ、努力をし…」と切り抜けることもできるようになります。

私たち実況アナウンサーでも、
間違った助詞がつい出てきてしまうことがありますが、
そのあとの言葉を駆使して修正し、意味を伝えきることがよくあります。
ちょっと上級者向けにはなりますが、

ボールペンで書くことは発言の瞬発力向上にもつながっています。後戻りできない筆記用具を使うことで、言葉の瞬発力も養われます。

Q.

あなたのお気に入りの筆記用具は何ですか?

日記には「見出しとなる内容」と「ひと手間かかった言葉」を入れる

日記は、その日を生きた証のようなものです。

ただ、1日24時間、すべてを文字に残すことは不可能です。

そこで私は、

「見出しとなる内容」と「ひと手間かかった言葉」を入れるように心がけています。

それがその日を象徴する要素になるからです。

例えば、マスクの品不足が深刻になってきたというニュースが流れた２０２０年2月18日の日記には、

> 番組の反省会がなくなった。コロナウイルスの足音が聞こえてくる。（中略）
> たまたま買った１００枚（のマスク）が命綱となる。

と書いてあります。

スタッフと出演者などが集まって行う反省会がなくなったことが、
とても象徴的に感じられたので「見出し」にしたようです。
また「足音」や「命綱」という言葉に思いを染みこませているのもわかります。

自分で書いた日記なのですが、その時の自分が新鮮に思えるから不思議です。
「命綱」とは今読み直すとやや大げさな表現ですが、それでいいのです。
その時の肌感覚などを思い出せるのが日記のいいところです。
一方、マスクを着用しないという方は
私の日記の表現に違和感を持つかもしれませんが、
他人の目は気にせず書き進めるのがいいと思います。それが日記ですから。

時に、どこまでむき出しの感情を記すべきか、
どこまでオブラートに包むべきかで悩む場面が出てきます。
しかし、その日の気持ちに正直に書くのが一番いいと思います。

自分の人生ですし、日記はその足跡ですから。

ただ、私は一つだけ日記のルールを決めています。
それは「他人を傷つける言葉は使わない」ということです。

コロナウイルスで多くの人が、感情を抱えきれずにSNSを利用しました。
普段、ご自分では口に出さないような、残念な言葉も多く飛び交いました。
その言葉を繰り出す時の自分の顔は、爽やかでも朗らかでもないはずです。
「発した言葉で自分を汚さないように」
たとえクローズな日記の世界でも、
他人を傷つけ、自分を汚す言葉を使わないように心がけています。

よくご高齢の方が、あと何回食事をできるかわからないから、
一回の食事を大切にしたいとおっしゃいます。
言葉も同じで、表現の一つひとつを大切にすることが、

日々の充実につながります。

発した言葉は自分を離れていくように思えますが、
本当はその言葉が自分をつくり上げているのです。

Q.

今日の日記を書くとしたら、どのような見出しをつけますか？

何気ない一言を書き留めておく

いざペンを持った時に「書くことがない」という方もいらっしゃると思います。
しかし書くことは必ず、みなさんのすぐそばに存在しています。
涙を流すほどの感動はそんなに毎日あるものじゃありませんが、
何気ない一言に心が動くことは結構ありますよね。
それを書き留めておくのも、日記を書く上でとても重要なことです。

先日の日記に、
近所にある昭和な八百屋さんで野菜を買った時のことを書きました。

帰りに野菜を買う。たくさん買って470円。(あまりに安いので私から)
500円でいいですよと言うと『そう言うなよ』と笑う。かっこいい。

本当はもっと詳細を書きたいところですが、
素朴で粋なやり取りには、字数を使いたくありませんでした。
こんな、書かなければ記憶からあふれ落ちる出来事も日記が残してくれます。

書く内容はこんな日常のことでいいのです。
仕事のことばっかり書いているとと疲れますしね。

しかしこういった瞬間は、いざ日記を書く時に思い出せないものです。
実にもったいない。
いつの頃からか、私は携帯電話のメモ機能を使うようになりました。
紙とペンがなくてもいいですし、すぐに書けます。
そのメモには、その瞬間を思い出せるだけの短い言葉を書いておきます。
今回のやり取りに関していえば、
「八百屋のおじさん」
これだけで十分です（笑）。

難しい言葉や凝った言葉ではなくていいので、すぐにメモします。
通勤中に見た電車内での風景や、
コンビニでのやり取り、

お昼に食べた焼き魚のおいしさや、
実はぬるかったコーヒーのこと、などなど。

少しでも心が動いたことをメモしておいて、
日記に書く時に眺めてみると、その日一日をしっかりと振り返ることができます。
何気ない日常こそ心の揺れの宝庫ですから、ぜひお試しください。

ちなみに、日記に出てきた八百屋さんは周辺の再開発エリア内にあって、
工事が始まれば「店をたたんでしまう」とのことでした。
レジ音や店内放送など、人工音にあふれた路面店はなくなるばかり。
かつては当然だった風景も、日記に残しておきたいですね。

Q.

最近、印象的だった一言は何ですか？

悩んでいる時、疲れている時こそ書いてみる

今回の文章を書くにあたり、困ったオーダーがありました。

「藤井さん、日記の実物を見せてもらえますか?」

そうですよね、私が編集者の立場でも必ずこう言います。

先方からすれば、当然の要求です。

私の日記は主に「仕事」をテーマにしていますが、
その前に日記ですから、お見せできる内容かどうかの確認が必要でした。
自宅の押し入れに頭を突っ込み、過去の日記をひっぱり出し、ほこりを落とし
一連のセキュリティーチェックをしてみると……8割はお見せできない!

でも、お見せできない理由は喜怒哀楽がむき出しだからではなく、
登場人物の多くが「個人」だからなのです。
私は日記に感情をぶつけるというよりは、
日記から自分の感情を知ることに重心を置いていますので、
固有名詞さえなければ、比較的お見せできたはずです。すみません。

さて、私が日記を書く上で大切にしているのは
「何かしらのプラス」です。
八百屋さんの日記でも、
多くお金を払いたい私と、それを断る店主の構図が面白く、ユーモアになります。
無表情なやり取りより、日々ユーモアがあるほうが素敵ですよね。
一方で、マイナスの感情もたくさんあって、当然それも書いていいと思います。
お見せできない8割の日記の中にも、むき出しの言葉が無邪気に躍っています。
何より、むき出しの言葉ほど病みつきになるものはありませんし、
寝る前に食べるアイスクリームのように、その手を止められないこともあります。

ただ、実際にマイナスワードを書いていると、不思議な変化が生まれます。
仮に、誰かに対する不満を綴《つづ》っていたとしても
「本当は自分にも非があるんじゃないか」
「たまたま相手の機嫌が悪かっただけなんじゃないか」

「今度はこういうスタンスでいってみよう」などなど。

字を書くという作業に時間がかかるからか、
その時の感情から時間がたっているからか、
一方で、冷静にもなれるのです（なれない場合もたくさんあります）。

日記は自分へのインタビューであり、自分との話し合いです。
だからこそ、私は日記に感情をぶつけるというよりは、
日記から自分の感情を知ることに重心を置いています。
停滞している時、悩んでいる時、疲れている時こそ、書いてみてはいかがですか。
ＳＮＳの便利なつぶやきとは違う効果が、日記には隠れています。

Q.

もしマイナスな感情をお持ちなら、それはどのような気持ちですか？

手書きだからこそ、「言葉を生んだ」意識が強まる

デジタル全盛の時代に、日記ほどアナログな存在はありません。
なのに私は今さら、日記を書きましょうと言っています。
いいのでしょうか……。

やや不安になった私は、キッチンへ行ってコーヒーをドリップし、少し多めのミルクを入れて、今、パソコンの前に戻ってきたところですが、落ち着いてアナログの大切さをお伝えしようと思います。

近年、ＳＮＳによるバッシングで人が傷つき、命を絶つ悲しい出来事も起きています。
パソコンやスマートフォンのおかげで誰もが「メディア」になれる時代がきましたが、発信する責任、言い換えると「その言葉を生んだ親」の自覚も一方で大切です。

しかし、ＳＮＳは多くが匿名であり、「親」の顔が見えません。
でも、だからこそ人々は、非日常の新鮮さの中で言葉を浪費し、快感を得る。
「品」の失われた誹謗《ひぼう》中傷ほど、

単なるストレスの発散である場合が多いと感じます。

誰かを傷つけていないか、確認する

私はコロナウイルスのニュースをお伝えする中で、
基本的な情報に、自分なりのコメントを加えました。
アナウンサーはニュースだけ読んでいればいいという方もいらっしゃいますので、
ここではその良し悪しをお話しするつもりはありません。
また、あのコメントが不快だったという方もいらっしゃると思いますので、
そういう方は申し訳ありませんが、
このページをスキップしていただければと思っております。

一連のコメントをつくり上げる中で一番心配していたのは、
「私のコメントで傷ついている人はいないか」ということだけでした。
より多くの人に言葉を伝えるうえで、ここだけは知っておきたかったのです。

そこでSNS上での反応を確認しました。
いわゆる「エゴサーチ」です。

いくつも印象に残ったコメントがありました。
私にはもったいないお言葉も多く頂戴しましたが、
その一方で、悲しくなる言葉も多くありました。

ここで、しっかりと分析しなければならないのは、
その誹謗中傷が「単なるストレス発散」、
言い換えるとすれば「その人の好き嫌い」から始まっていないかということです。

「こいつ、言い方がムカつくな」
「コロナに罹患《りかん》して早く死ねばいいのに」

これは、実際に私に対して投稿されたメッセージです。

もっともっと切れ味の鋭い、悲しい言葉もたくさん見られました。
でも、この紙面を汚したくないので、できるだけシンプルなものを抜粋しておきます。

こんな言葉を目にして、まず感じたのは
「普段はこんなこと言わない人なんだろうな」ということです。
それがＳＮＳだと言えてしまう。

私は多くのご批判やご意見を糧に、アナウンサーとして育てていただきましたので、どんなコメントにもある程度の「免疫」が備わっています。
しかし、免疫がない方の場合、
初めて目にする悲しい言葉の数々に、メンタルの不調をきたす可能性もあります。

もし、ＳＮＳの誹謗中傷に悩んでいる方がいたら、ここで判断してください。
議論を前に進めようとするコメントは正当な批判であり、生産性がある。
誹謗中傷との最大の違いはここです。

それ以外のコメントは、
ここでしか書けないかわいそうな人なんだと思って、その場から離れましょう。

書いた言葉の親になる

さて、アナログのよさに少しだけ戻りましょう。

実際にペンを使い、文字で誹謗中傷を書くとしたら、
どんな人でも一度は自分を客観視するでしょう。
つまり、自分が「その言葉の親であること」を意識するはずです。
親の顔が見たいとは昭和の台詞《せりふ》ですが、まさにこの延長線上です。
アナログのよさは、自分を振り返るタイムラグがあることなのです。

もう一つ、デジタルとアナログの違いについて、
世紀の大発見レベルにお伝えしたいことがあります。

それはSNSの「フォントマジック」です。
フォントとは「書体」のことですが、スマートなフォントほど信頼度が高まります。
自分の文章をプリンターで印刷すると、
それほど自信のない文章でも意外に読めてしまうご経験があると思います。
それこそまさに「フォントマジック」です。
ですから、誹謗中傷ですら素晴らしい意見に見えてしまいます。

一例で言うと、こちら。

「こいつ、言い方がムカつくな」

同じ一言でもフォントひとつで、
大きくニュアンスが変わることがおわかりいただけるでしょうか。

もし、SNS上で誹謗中傷を目にしたら、

思いっきりかわいい文字に変換してみてください。
ひどい言葉ほど面白く見えてきます。

Q.

誰かの心ない言葉に、傷つけられたことはありますか？

日記を続けるために、手がかりを残す

日記を書く上で必ず直面するのは「毎日続けなければならない」問題です。

この問題の解決策を先に申し上げておきますと、
「手がかりさえ残しておけば、いつ書いてもいい」ということです。

私はスマートフォンのメモ機能を使って、
その日に起きたことのキーワードを書いているとお伝えしましたが、
そのメモさえあれば、たとえ1か月ため込んでしまったとしても問題ありません。

土日にしか時間がない、
夜は疲れ果てている、
お酒を飲んでしまったら書けない、などなど。

私も、同じような状況で1か月以上書かなかったことがありましたが、
ためてしまっても焦らず、みなさんの生活リズムに合わせて書けばいいのです。

手がかりワードを見直すだけで、十分に当時の心の揺れを思い出しますから。
また、旅行や出張先など「非日常」の場合は、書くことが多すぎて整頓できません。
逆に自宅に戻っていっぺんに書いたほうが、過ぎた時間も再びおいしく感じます。
「毎日書くんだ！」と思わないことも実は大切です。

一方、どんな日記帳や筆記用具を使うかも日記を続けるコツにつながりますね。
私の場合は、入社時に買ったシステム手帳を今も使っています。
27年以上の付き合いですから、使いこんだ野球グローブのようです。
繰り返しますが、筆記用具は会社のボールペンです。
仕事の日記ですから私的流用ではありません（笑）。
インクがなくなるまで大切に使っていきます。
こだわりのある方は、とことん突き詰めていただくのもいいかと思います。

ここからは余談ですが、
27年分の仕事日記が書かれているリフィルは毎年積み上がっていきます。

自宅の「大切ボックス」の中でその体積を増やしながら、
小学校時代の卒業アルバムなどとともにゆったりと生活しています。
私がこの世を去る時、彼らはどうなるのか。
日記にまつわる永遠の課題で、答えが出ませんね。

Q.

あなたは何かを毎日続けるために工夫していることはありますか？

初心に帰るために、昔の日記を眺める

何年も日記を書き続けていくと、日記の冊数がどんどん増えていきます。
またインクを吸った紙が味わいを持ち、
デジタルにはない厚みが生まれます。
それは日々経験したことの「積み立て貯金」のようなもので、
どれくらい積み立てられたのか、銀行の通帳を見るように日記も気になるものです。

そんな貯まっていく快感とともに、別のメリットもあります。
それは「初心に帰れる」という効果です。

たいてい、何かを始めた時に、私はそのことを日記に書いています。
その時にどんな思いだったのか。
新鮮さや緊張感、不安や希望に満ちたあの日を思い出すことは、
日記にしかできない大きな役割です。

２０１０年３月29日。

私が10年以上担当している「news every.」という報道番組がスタートした日です。

その日の日記には、こう書かれていました。

---

news every. が始まった。1日が嵐のように過ぎていく。しかし本番では不思議と緊張しないでいられた。ズムサタ（以前の担当番組）で培った司会能力なのか。自分のことが好きではなかったが、やっぱりスーツは似合うのではないかと思う。記念すべき初日。

こう振り返ると、冷静に自己分析をしている一方で、文字からは彩りが感じられないことがわかります。

原文のままお伝えしているので、説明が必要な部分もありますが、私は「自分のことがどうしても好きになれなかった」ことを思い出しました。

アナウンサーは普通に仕事ができて当たり前。

うまくできたとしても、ほめてもらえることはほとんどありません。

その上、私たちアナウンサーは、
能力が不足している部分を徹底的に鍛え、底上げをするので、
自己否定をする日々でした。
自分を好きになることで甘さが生まれ、成長が止まる。
そう思っていたからこそ、自分のことを好きになれなかったのです。

そんな中、スーツだけはその日の不安な自分の味方をしてくれているようで、
思わず「似合うのではないか」と書いたのです。
この日記なしに、あのどんよりと重い責任感を思い出すことはなかったでしょう。

行き詰まった時、
後輩からアドバイスを求められた時、
次のステップを踏む時など、
自分を客観的に見るべきタイミングでは「昔の自分」が何よりの力をくれます。

それにしても、言葉のチョイスがまだまだ緩かった38歳の藤井キャスター。
やっぱり日記は、人にお見せするものではないですね。

Q.

仕事や勉強など、大切な何かを始めた時、どのような気持ちでしたか？

大切な感情を
思い出す

私の日記は主に仕事について書きますが、
もちろんプライベートについてもたくさん書いています。
仕事を超えて大切なことが起きることもあるからです。

2000年の7月下旬、
まだ私の父が生きていた頃です。
その頃の日記に、こう書かれてあります。

父親が、早くて1年という。今までずっと働いてきて、退職金で屋根を直したいと言っていたお父さんの人生は楽しかったの？　幸せだったの？

父はがんを患い、58歳で亡くなりました。
私と父は、あまりうまくいっていなかったのですが、
なんだかんだで大切にされていることはわかっていました。
私の父は、子への愛情を示すのが不得手だったようです。

この日記の中で、私が一瞬であの頃に戻れた言葉があります。
それは
「屋根を直す」という言葉です。
人生が終盤であるのに、家の屋根を直したいという思い。
父の余命を知っている私は、
その想いにきちんと向き合えるほど、大人ではありませんでした。
だからこそ、日記に書き記したのだと思います。

父はその後、自分の余命がそれほどないことを感じ取り、
病院から自宅に戻りました。

その数週間後、
久しぶりに実家に帰ってきた私に、何気なく父が言いました。
「死ぬのはもう怖くない。でもみんなと別れるのはさみしいな」

死への恐怖ではなく、穏やかな表情で話す父。
私はどう返事をしたのか覚えていません。
強い父の本音を聞いたのは、人生でこの一回だけでした。

少し話がそれてしまいましたね。
でも、たった5行の日記でここまでの思いがよみがえるのです。
父のことを日記に書いておいてよかったなあ、と思います。

Q.

あなたの人生の中で、大切にしたいできごとは何ですか？

3章

自分の言葉を、相手に伝える

すべての反応に責任を持つ

これまでの2つの章では、
書くことを通して、自分らしい言葉を集めた上で、
その言葉をどう使い、どう育てていくかをお伝えしてきました。
3章ではこの言葉たちを外に出すこと、
つまり「独り立ち」させる時に覚えておいてほしいことをお伝えします。

発する言葉でも、書いた文章でも、それを受け取る人の反応はさまざまです。
ある人は賛同し、ある人は肯定し、
ある人は違和感を覚え、ある人は批判します。

ですから、全員の反応なんて気にしていられないと思うのが当然ですね。
でも、その反応の起点となったのは、他でもない自分の発信です。

例えば、自分の発言で誤解を生んでしまった場合、
「そんなつもりで言ったんじゃない」と、一人ひとりに説明するのは大変です。

これがＳＮＳだった場合は、修正不可能な場合さえあります。

でも、この誤解を生んだのも、他でもない自分の発信です。

相手のとんでもない勘違い以外は、やはり自分の発言に対する責任は発生します。

沈黙は金なりと言いますが、何も言わないのが実は一番いいのかもしれませんね。

でも、ここでお伝えしたいのは
「全責任を負ってください」というプレッシャーではありません。
責任を持つというスタンスを取ることで、自分に変化が生まれるということなのです。
実際、勢いだけの言葉選びは減りますし、潔い言動が増えてくるのです。

もちろんジャンキーな言葉を使うのは、気持ちのいいものです。

毒舌はストレス解消につながるでしょう。

しかし、それを聞く人たちは、あなたがどういうスタンスで発言したものなのかを、一度探ります。

その無駄な手間が、発言者への信頼を薄く削っていくのではないでしょうか。

一番問題なのは、信頼が薄くなっていることに本人が気づかないことです。
自分の真意を表しきれているか、
それは相手に伝わっているか。
発言の前に一度確認するだけでも、言葉のチョイスは改善されていきます。

「読む」と「伝える」

ここからは余談ですが、
少しだけ私たちの仕事の紹介をさせてください。

私たちニュースアナウンサーは記者の原稿を「読み」ますが、
その瞬間から、その記事の責任を記者と分担することになります。
正確には「そんな気持ちで臨む」ということなのですが、
誤解を生む可能性のある表現に気づき、修正する責任をアナウンサーも負っています。
例えば、こんな文章はどうでしょうか。

「来年の採用は、専門的な職種に限り、規模を3割縮小する」

実はこの文章は、2通りの解釈ができてしまいます。

A　採用は専門的な職種「だけにすることで」、全体の規模を3割縮小
B　専門的な職種の採用「だけを3割縮小して」、あとは今まで通り

こうした誤解を生まないようにするには、例えば

A　来年は、専門的な職種についてのみ採用し、全体規模の縮小を目指す
B　来年の採用は例年通りだが、専門的な職種についてのみ採用規模を3割縮小する

「こんなふうに言い換えてもいいですか？」と提案するのも、私たちアナウンサーの重要な役割です。

ただ、原稿を書いた記者は、
朝早く起きて、取材をして、カメラマンに撮影してもらって、本社に戻って、編集して、原稿を書いて、印刷して、アナウンサーに渡します。
そんな努力の結晶を「こう変えていいですか？」なんて簡単に言えません。
でも努力の結晶だからこそ、きちんと輝いてもらうように提案することが大切です。

これができるようになるまで成長し、記者にも信頼されるようになった時、ニュースを「読む」のではなく「伝える」ことができるようになるのです。

Q.

自分の真意と異なる意図で伝わってしまったという経験はありますか？

ネガティブワードこそ
エネルギーの塊

ここまで、後輩とのやり取りについていくつか書いてきましたが、アドバイスをするというのは勇気がいるものです。

また私たちアナウンサーが後輩にアドバイスをする時には、「人間の本質」に近いアドバイスをしなければなりませんので慎重さも求められます。

具体的には、

・背中が曲がっている
・滑舌が悪い
・早口である
・なぜその言葉を使ったか意味がわからない、などなど。

できればアドバイスしたくない、ネガティブなことばかりです。

特に言葉遣いについては「呼吸」と同じように当たり前にしてきたもので、

その使い方を指導されるのは、生き方の否定に近いものだと考えています。
だからこそ、後輩への指導は慎重になりますし、
明確な勝算がないかぎり、その場では行いません。

以前の私はその場での指摘が厳しすぎたため、関係が難しくなることもありました。
後輩にとってもアドバイスは短いほうがいいだろうと考え、
一番ダメな部分をそのまま伝えていたのです。
後輩としては自分が否定されたことしか頭に残らなかったと思います。
それ以降、思ったことをすぐには言わずに一度、
ノートに書き出してみるようにしました。
苦い経験から、アドバイスの「下書き」を始めたのです。

ただ、その下書きの内容自体はシンプルにダメ出しです。
実際、ノートにはむき出しの言葉が並んでいますが、
それを寝かせ、もう一度読み返します。

例えば「語尾が下手」という言葉を書いたとします。
これは「ニュースの語尾の音程の扱いがうまくない」という意味ですが、
こんな言い換えだけでも、相手に届きやすく変化しているのがおわかりでしょうか。
これをさらに寝かせてみると、もう少し届きやすい表現が浮かび上がってきますし、
寝かせた分、自分も冷静になれて、別の言葉が生まれてきます。
このタイムラグがとても大切なのです。

言葉の「変換ゲーム」を楽しむ

また、この作業をするうえで大切なのが、ネガティブワードの変換です。

私は常日頃から、
ネガティブワードにはなかなかのエネルギーが詰まっていると感じていました。
感情があふれてしまった表現ですから、多くのエネルギーを蓄えているはずです。

また、裏を返せば前向きに言い換える余地が広がっているともいえるのです。

例えば「入社3年目でこのレベルではきつい」という言葉があるとします

(この時点で後輩には言えませんね)。

この言葉を「あと少しで3年目として十分なレベル」という言葉に言い換えられれば、

後輩としても自分の現在地を理解できますし、アドバイスも届きやすくなります。

さらに、「3年目としては合格だが、目指すのは合格じゃないだろ?」

と発破をかければ、勘のいい後輩は努力を加速させていきます。

また、こちらがアドバイスに時間をかけていることに

後輩が気づいてくれるようになると、

プライド全開だった後輩の表情が、明るく変化していきます。

こんな経験を何度もしてきました。

生では苦い野菜も、油で炒め、火を通すと、深いうまみが生まれてくるようです。

また、単語一つをとっても変換が可能です。
「必要」「重要」「大切」
この3つの言葉はかなり近い意味を持ちますが、使い方で違いが生まれます。

・努力が必要
・努力が重要
・努力が大切

みなさんが後輩にアドバイスするとしたら、どの言葉を使ってあげたいですか。

みなさんも、言葉の「変換ゲーム」をぜひ楽しんでください。

さて、ネガティブワードの変換といえば、最近こんなことを感じていました。
お笑いコンビにはボケと突っ込みの役割分担がありますが、
近年では、ボケに対する突っ込みと見せかけて、ボケのフォローをするスタイルが人気を博しています。

あのネタが面白いのは、
言いたくなる文句やクレームを、瞬時に前向きに換えてしまうからです。
「いや、よくその返しが生まれたな！」と感心しつつ、大笑いしてしまう。
こんな素敵な変換があるんですね。

ＳＮＳの世界では批判や中傷が飛び交い、
言葉の使われ方がとても冷たくなっています。
誰かを支えたり、励ましたり、喜ばせたりすることに言葉が使われたら、
日常はもっと素敵になるでしょう。
今、あのお笑いスタイルが支持されているのは、
みなさんが心ない言葉のやり取りに疲れているからではないでしょうか。
後ろ向きな言葉を前向きに換えるって少し難しいけど、楽しい。

言葉を少し変換するだけで、
人を笑わせるほどのエネルギーや相手を納得させるパワーが生まれてきます。

Q.

あなたなら、「努力が足りない」をどう言い換えますか？

人前での発言が苦手だから、
言葉の選び方に力を注ぐ

企画のプレゼンテーションや企業の会見などでは、
たいてい、その後の質問に対する「想定問答」などが準備されます。
実は、その受け答えの質が、
プレゼンテーションや会見の「満足度」を高め、信頼を広げていきます。

これを私たちの生活に置き換えてみると、どうでしょう。
まず、普段、話し慣れていない人が多くの人の前に出て、
誤解や説明不足がないように発言するのはなかなか難しいものです。
ただ、話し終わった後、相手からの質問や内容の確認など、
質疑応答に対して答えるのは、それほど難しいものではありません。
またそれができれば、たいていのメッセージは伝わります。
話すのが苦手な人がスキルを上げられるとするならば、ここです。

実は私も、人前での発言が苦手でした。
「アナウンサーなのにそれでいいのか！」というご指摘が聞こえてきそうですが、

残念ながら事実だったので、私は苦手な部分を分析し、鍛える努力をしました。

その努力とは2つあるのですが、まず1つ目。
これは何度もお伝えしていることなのですが、
「言葉選びに力を注ぐこと」です。

話が苦手な方は私を含め、長く話すことが苦手なようです。
ですからスピーチ自体を短く、エッセンスだけを伝え、
早めに質疑応答に入ってしまおうという作戦です。

ただ、その後の質疑応答まで短く終わってしまわないように、
聞いている人の頭に残るフレーズを用意しておきたい、ということなのです。

具体的にはまず、自分の言いたいことを紙に書き出します。
たくさん書いて、ランダムに書いて、そこからやっと文章を整えます。

ある程度まで進むと、ぼんやりフレーズが見えてくるから不思議です。

この手法は、ずいぶん昔の話ですが、就職活動の面接にも応用しました。
面接では緊張するに違いないと予想していた私は、
なるべく自分が一人で話す時間を減らそうと、
短く、印象に残るフレーズを準備していました。

その1つが
「人の幸せを自分の幸せとするセルフエンターテナー」という言葉でした。
私は自分が楽しいより、他人が楽しそうなのがうれしい。
そのお手伝いをテレビマンとしてできたら……と考えていたのですが、
それをワンフレーズで端的に表したかったのです。
私はどんな業種を志望するのかを探る時にも、
自分について徹底的に書き出す作業を行いましたが、
なぜこの会社を志望するのかも徹底的に書き出しました。

その多くの言葉を煮詰めた末に、このフレーズが生まれました。
実際の面接では、自己紹介は短くできた上で、
質疑応答では多くの質問をしていただき、なんとか乗り越えることができました。

意地悪な質問を想定する

伝えるための努力、もう1つは
「意地悪な視点を取り入れる」ということです。
話すのが苦手な人は、想定していない質問に対してパニックになりがちです。
ですからなるべく多くの質問を想定し、準備しておくことが大切です。
その中に、意地悪な人だったらどう聞いてくるかという視点を入れておくのです。
最初に書いた通り、
企画のプレゼンテーションや企業の会見では、厳しい質問が飛んできます。
私たちの日常でそんな状況はほとんどありませんが、
「意地悪な質問がきたら」というフィルターを通しておくことで、

守備範囲は確実に広がります。
意地悪な質問が思い浮かばないという方は、
頭の中に、厳しめの上司、先輩、先生にご登場いただきましょう。
あの人だったらどんな質問をしてくるだろうかと考えてみてください。

これにより、どんな質問がきても大丈夫という自信が生まれ、
実際のスピーチではその人なりに堂々とお話ができます。
また、せっかく用意した意地悪前提の想定問答を使わないことが
物足りなく感じることもあります。
ここまでくれば、もう「苦手」ではなくなっているはずです。

Q.

あなたの周りで、一番厳しい質問をしそうな人は誰ですか？

「この言葉は本当に届いているのか」

テレビは多くの人にご覧いただいていますが、
スタジオにいる私たちは、みなさんのお顔を拝見することはできません。
だからこそ常に、「この言葉は本当に届いているのか」と自分に問いかけています。

新型コロナウイルスの緊急事態宣言が出された時、テレビ画面は
「人の少ない渋谷のスクランブル交差点」を映し出しました。
この交差点をどう表現するか。
アナウンサーによって、テレビ局によって、それぞれのスタンスがありました。

あの緊急事態宣言の状況下ですから、
異様な光景とするか、
あるべき光景とするか、
単に「人がいません」とだけ言うか。

そんな中、私が大切にしていたのは、
たくさんの人の立場から言葉を選ぶということでした。

医療従事者は
飲食店経営者は
学校の先生は
感染症の専門家は
ご高齢の方々は
赤ちゃんのいるお母さんは、
渋谷の交差点をどんな思いで見ていたのか。
いろいろな立場の方の顔が浮かびました。
でも、あちらを立てればこちらが立たずの堂々巡りで、言葉が決まりません。

結局、私は
「今テレビを見ているみなさんのご協力で、人との接触が防げています」

と、お伝えしました。

この交差点にいない人は、テレビの前にいるかもしれないと思ったからです。

もっと多くの人に伝わるメッセージもあったはずです。

しかし私の言葉は、テレビをご覧になっている方にしか届きません。

だからこそ、今時間を共有しているみなさんにメッセージを伝えようと考えたのです。

私は、誰かを批判することよりも、誰かを励ますことを選びました。


この言葉に対する嫌悪感もあると思います。

しかし私は、

「政府にはしっかりとした対策を求めたいものです」

といったようなコメントで、
いただいた数秒の機会を消費したくなかったのです。


見栄えのいい言葉だけが届くのではなくて、

鋭い批判だけが力を持つのではなくて、
相手を頭に思い浮かべた言葉こそが届くのだと信じています。

Q.

あなたが言葉を届けたい人は誰ですか？

取材は、
一人の人間として
丁寧に

私が本格的に夕方のニュース担当になったのは30歳を過ぎた頃でした。
考えてみると、20年近くニュース現場での仕事が続いていますが、
その間、いろいろなニュースで取材に出ました。
近年は地震や豪雨などの自然災害が多く、悲しい現場にも直面します。
そんな状況ですから、取材には細心の注意を払ってきました。

例えば、ドラマなどで見る報道取材クルーは、
カメラを担いでどんどん被災地に入っていきますが、
私たちはそうしません。
カメラマンにはまず、被災地全体の撮影をお願いして、
その間に私とディレクターだけで、マイクも持たずに道を歩き、
お会いした人に「お話だけ」を聞くのです。

災害発生直後は、その不安からか、
被災されたみなさんが普段より多く、話をしてくださいます。

でも、取材を終えてからしばらくすると、
自分がたくさん話してしまったことを後悔される人もいます。
またその一方で、すでに他のメディアがずんずん被災地に入ってしまって、
被災されたみなさんのマスコミに対する感情が悪化している場合も多くあります。

ですから、まずは、
そこで生きてきたみなさんがどんな気持ちでいるのかを理解してから取材したい、
そんな思いが強いのです。
私たちは、自分たちの都合でカメラを回し始めないようにしています。

一方で、ある時、
地震で被災したご自宅の前にいた60代の男性に、
どんな揺れだったか、どうやって逃げたのか、ご家族は無事だったのかなど、
許可をいただいた上でお話をうかがっていると、
逆に私たちのことを心配するような顔で、こんなことをおっしゃいました。

「テレビなのにカメラ回さなくていいのかい?」

もちろん、カメラを回したいとは思っています。
でも、被災された方との関係がしっかり構築できてからじゃないと、
やっぱりカメラは回せないのです。
何回か一緒に取材に出てくれているカメラマンは、それがわかっていて、
遠くから「いつでもいけるよ」とスタンバイしてくれています。
カメラマンによっては、商売道具のカメラを地面に置いて、
一緒に話を聞いている人もいます。

この方法だと、カメラを回し始めるまでどうしても時間がかかるのですが、
お気持ちを聞いた上でのお話には「本当の言葉」があふれます。
表情からは想像もできないほどのつらい思いや、
それでも前を向きたいという気持ちが、
ご自身の言葉となってあふれてくるのです。

そうなるともう取材ではなくなり、一人の人間として聞いています。
だから、カメラが回っていてもあまり関係なくて、
自分にできることは何かを真剣に考えるようになるのです。
そのようにしてお話を聞くことができた方々とは、
その後も、長くお付き合いが続いています。

もし私が、日本を代表する知名度の高いキャスターだったら、
こんな時間のかかるやり方は必要ないのかもしれません。
でも、私がそんなすごいニュースキャスターになれたとしても、
一人の人間として丁寧に取材をしたいと思っています。

Q.

あなたは一人の人間として、何を話しますか?

言葉は、
自分の存在以上の
力を持って
戻ってくる

ある時、こんなお手紙をいただきました。

ちょっと経緯が複雑なのですが、
番組を見てくれているという中学生の女の子のお手紙に、
私がお返事を書いて送ったところ、
ほどなくして、女の子のお母さんからお手紙が届いたのです。

その手紙には、
私からの手紙が届いて娘さんが大喜びしたことや、
その手紙を額に入れて飾ってくれていることなどが書かれていました。
私のようなおじさんから届いた手紙をそんなふうにしてくれて、恐縮です。
しかし、お母さんから届いた便箋4枚にわたるお手紙を読み進めていくと、
その雰囲気はガラッと変わります。
ご家庭の深い事情から、娘さんの日常生活が不安定になっていたこと、
学校も行かず、行っても遅刻をし、食事もしなくなっていたことが書かれていました。

お母さんは、これは自分のせいだと、自らを責めていました。
私はそんな事情も知らず、女の子の手紙に返事を書いていたのです。

さらに読み進めていくと、
私の手紙が届いた後は、早起きをして学校に行くようになり、
部活動にも参加するようになったと書かれてありました。
お母さんの喜びとともに、私への感謝のお言葉まで添えられていました。

ここで申し上げたいのは、私の意外な人気ぶりではなくて、
たぶん、私の言葉がしっかりと仕事をしてくれたのだろうということです。

メールであれば、自分がどんなことを書いたのか送信履歴で見直せます。
しかし手紙は、相手に届いてしまえば、
その言葉や思いを再び確認することは難しいでしょう。
よくやった、私の言葉たち！

正直に申し上げて、
あの手紙のどんな言葉に心を動かしてくれたのかはわかりません。
でも、自分の生んだ言葉たちがいい仕事をしてくれたならうれしいです。
その後、女の子は元気に頑張っているのかな。

相手に好意がある時にどう伝えるか。
後輩への指導が必要な時にどんな言葉を選ぶか。
感謝を伝えきる言葉を今、持っているか。

まだまだ道半ばの私が言うのもおこがましいのですが、
急に「言葉力」が身につくことはありません。
日々言葉に触れ、使うことで、自分を高める。
それがいつか、自分の存在以上の力を持って自分に戻ってきます。

手元にある安易な言葉で、ご自分を包まないように。
発する言葉で自分をつくる意識が、今の時代だからこそ大切なのだと思います。

Q.

あなたは最近、誰にどんな言葉を伝えましたか？

おわりに

「本を書きませんか」と言われたのは、第2波の終了後だったでしょうか。
あの当時は、
孤独や不安を感じている人の力になるにはどうすべきか、
できるだけ多くの人に前向きになってもらうにはどうすべきかを毎日考えていました。
一方で、そのコメントを作成するストレスは重く、深く、
夜中にフレーズが浮かんだら、起きてメモをする生活を続け、疲れも感じていました。

ですから、本を書くことについて、はじめは躊躇《ちゅうちょ》していたと思います。
ほかのメディアからも取材依頼がありましたが、
いつ新型コロナウイルスが収束するか全くわからないので、お断りしていました。

しかし、この本の依頼に関しては、
「新型コロナウイルスについて書かなくていい」
「編集担当側からの質問に答える形式でいい」という条件を出してくださったので、
それならばできるかもしれない、と思ったことを覚えています。

その一方で、近年はＳＮＳ上で批判や暴言が飛び交い、多くの人が傷つき、
命まで失う悲しい出来事も起きていました。
言葉の怖さを知る立場から伝えられることがあるはずだと、
小さな焦りすら感じていました。
新型コロナウイルス禍の今だからこそ、伝えられることもある。
こうして、私にとって初めての執筆が始まったのです。

執筆途中では、多くの方のお力添えがありました。
一生懸命に質問を考えてくれたディスカヴァー・トゥエンティワン編集部の安永さん、
編集長の大山さん、写真撮影にまでつきあってくださった三谷さん、

そして、私に執筆の機会をくださった奥田さん、本当にありがとうございました。
初めて本を書く人を導くのは大変だったと思います。お礼を申し上げます。

10年後、あなたはどうなっていたいですか？

さてさてそんな中、私の肩の力を思いっきり抜いてもらった質問があります。
それが「10年後、どうなっていたいですか？」という質問でした。

えー、そうきましたか。
実はこの問いに、一番時間がかかりました。
ここから先は、私が問いに答えた文章をそのまま掲載いたします。

＊＊＊＊＊

「10年後、どうなっていたいですか？」と聞かれ、どう答えようか。

実はこの問いに、一番時間がかかりました。

・1年先でもわからないのに、10年も先のことを予想できるのか
・10年たったら還暦に近いんだから、夢なんてあるのか
・本当はワイン屋さんがやりたいんだけど、本に書いていいのか

などなど。

つまり、みなさんにお伝えできるほどの答えがなかったのです。

でも、そんな時にポンと頭に浮かんだのが、私が入社以来書いている日記でした。
「10年先の自分はわからないけど、10年前の自分ならわかる」
何かヒントがあるかもしれないと、ほこりをかぶった日記を探します。
こんなふうにして、日記の晴れ舞台はたまにやってくるのです。

さて、実際に10年前の日記を読み返してみると、

ちょうどスポーツ実況の仕事にピリオドが打たれ、
今担当しているニュース番組がスタートした頃でした。
また、「iPhone 4」という文字が出てきたり、
番組の視聴率に悩んでいたり、
あの時にフリー宣言した同期に焦りを感じたりと、
自分のことなのになぜか新鮮です。

結論として、今の自分と10年前の自分を比較すると、
10年前は自分を俯瞰で見られていなかったことがわかりました。
同期ははるか格上の存在でしたから、私が焦ること自体が今となっては恥ずかしい。
でも、その頃の日記は、夢や情熱、がむしゃらさにあふれていました。
日記を振り返ると、今の自分は小さくまとまっていないかと、
過去の自分から叱咤激励を受けるような気がします。

10年後、どうなっていたいかはわかりません。

新型コロナウイルスがピークの時は、
2週間後の未来をつくるために、その日を生きていましたが、
未来を狙い通りにつくり上げる難しさをみなさんも痛感したと思います。

一方、個人的な話でいえば、
いつか小さな酒屋さんをやりたいと、本当に思っていまして、
2018年にワインと日本酒の資格を取得しました。
50歳が近づいている中での知識吸収、特に暗記ものは本当に苦労しました。

10年後、もし酒屋さんをやれているとしたら、
それは10年前の私のおかげ。
ワイングラス片手に10年前の日記をめくるのを、楽しみにしようと思います。

＊＊＊＊＊

と、私はこんなふうに10年後の希望を書きましたが、希望について書く機会はほとんどなかったので、とても新鮮でした。

でも、一つわかったことがあります。

それは、否定的な言葉で希望を綴《つづ》ることはできない、ということです。
発する言葉があなたをつくると申し上げましたが、発する言葉はあなたの未来もつくるのだと思います。

日々の一言を大切にすることは、あなた自身を大切にすること。
「伝える準備」は、そのお役に立つはずです。

伝える準備

発行日　2021年7月20日　第1刷
　　　　2021年9月15日　第3刷

Author　藤井貴彦

Photographer　榊 智朗
Book Designer　井上新八（カバー）　二ノ宮　匡（本文）

Publication　株式会社ディスカヴァー・トゥエンティワン
〒102-0093　東京都千代田区平河町2-16-1 平河町森タワー11F
TEL　03-3237-8321（代表）03-3237-8345（営業）
FAX　03-3237-8323
https://d21.co.jp/

Publisher　谷口奈緒美
Editor　大山聡子　三谷祐一　安永姫菜

Store Sales Company
古矢薫　佐藤昌幸　青木翔平　青木涼馬　越智佳南子　小山怜那　川本寛子　佐藤淳基　副島杏南
竹内大貴　津野主揮　野村美空　羽地夕夏　廣内悠理　松ノ下直輝　井澤徳子　藤井かおり
藤井多穂子　町田加奈子

Digital Publishing Company
三輪真也　梅本翔太　飯田智樹　伊東佑真　榊原僚　中島俊平　松原史与志　磯部隆　大崎双葉
岡本雄太郎　川島理　倉田華　越野志絵良　斎藤悠人　佐々木玲奈　佐竹祐哉　庄司知世　高橋雛乃
滝口景太郎　辰巳佳衣　中西花　宮田有利子　八木眸　小田孝文　高原未来子　中澤泰宏
石橋佐知子　俵敬子

Product Company
大山聡子　大竹朝子　小関勝則　千葉正幸　原典宏　藤田浩芳　榎本明日香　王廳　小田木もも
佐藤サラ圭　志摩麻衣　杉田彰子　谷中卓　橋本莉奈　牧野類　三谷祐一　元木優子　安永姫菜
山中麻吏　渡辺基志　安達正　小石亜季　伊藤香　葛目美枝子　鈴木洋子　畑野衣見

Business Solution Company
蛯原昇　早水真吾　安永智洋　志摩晃司　野﨑竜海　野中保奈美　野村美紀　林秀樹　三角真穂
南健一　村尾純司

Corporate Design Group
大星多聞　堀部直人　村松伸哉　岡村浩明　井筒浩　井上竜之介　奥田千晶　田中亜紀　西川なつか
福永友紀　山田諭志　池田望　石光まゆ子　齋藤朋子　竹村あゆみ　福田章平　丸山香織　宮崎陽子
阿知波淳平　石川武蔵　伊藤花笑　岩城萌花　内堀瑞穂　小林雅治　関紗也乃　高田彩菜　巽菜香
田中真悠　田山礼真　玉井里奈　常角洋　道玄萌　中島魁星　平池輝　星明里　松川実夏　水家彩花
森川智美　森脇隆登

出版プロデューサー　将口真明　飯田和弘（日本テレビ）
Proofreader　文字工房燦光
DTP　株式会社RUHIA
Printing　日経印刷株式会社

ISBN978-4-7993-2738-8